GW00992054

# LE CAFÉ DE L'EXCELSIOR

*Paru dans Le Livre de Poche :*

LES ÂMES GRISES

LE BRUIT DES TROUSSEAUX

LA PETITE FILLE DE MONSIEUR LINH

PHILIPPE CLAUDEL

# *Le Café de L'Excelsior*

LA DRAGONNE

ISBN : 978-2-253-12081-0 – 1re publication – LGF

*À Cléophée, ma petite fée.*

Mon grand-père tenait le *Café de L'Excelsior*, un bistro étriqué dont les mauvaises chaises et les quatre tables de pin rongées par les coups d'éponge composaient un décor en demi-teintes violines.

L'endroit formait une enclave oubliée contre laquelle les rumeurs du monde, et ses agitations, paraissaient se rompre à la façon des hautes vagues sur l'étrave d'un navire. Tout y avait déjà la qualité de l'estompe, comme si le lieu s'apprêtait à se noyer dans un temps au fur et à mesure plus vorace, et qui ne tolérait ni la compassion pour les lieux inspirés, ni la noblesse des rares survivants qui ne cessaient de les hanter.

Aujourd'hui, son souvenir en moi se pare d'ailleurs d'un brouillard qui rend les traits confus. Je ne me souviens à vrai dire qu'incomplètement de *L'Excelsior*, ainsi que de mon grand-père : me reviennent pourtant avec la netteté franche que donnent aux émotions les amours électives, le dessin de ses mains rugueuses aux ongles souvent endeuillés de charbon, la masse écrasante de sa stature de chêne gaulois, et ses bons sourires, plissés du front au menton, accompagnant les mots qu'il me lançait après m'avoir grondé pour quelques bêtises : « Va donc petit, je te pardonne, mange la vie car c'est du sucre à ton âge ! »

Son estaminet était l'abreuvoir des dieux à mobylettes : ils y venaient tous, été comme hiver, malgré les brumes, les soleils aveuglants, les pluies glacées d'avril que rien ne semblait devoir arrêter et qui versaient sur la petite ville de mon enfance une froideur pressée aux parfums de terre ouverte.

Rien n'aurait dévié la route de ces astres mélancoliques qui avaient passé soixante-dix-ans et plus : après avoir couché contre la vitrine leurs chars pétaradants, ces veufs improbables et ces maris égarés qui avaient de leur vie épuisé les surprises, se retrouvaient au vieux bistro et rompaient dans les blancs gommés et les rosés picons l'éternité des jours moroses.

*L'Excelsior* était leur phare ; ils y attendaient la mort sans vouloir la feinter. Du reste, le magasin du marbrier – *Frescatini & fils, monuments et caveaux, pierres de premier choix* – qui jouxtait le café rappelait aux buveurs la présence toute proche de la grande faucheuse. L'alignement des deux façades aurait d'ailleurs pu passer pour une belle métaphore de l'existence, cocasse peut-être, mais ni plus idiote, ni plus naïve que celles établies depuis des millénaires par les pédants rimailleurs et les philosophes à deux sous.

Grand-père était pauvre de trop boire. Il aimait son métier qu'il pratiquait comme un art. Et comme pour tout art, même si l'artiste possède des dons insolents déposés au berceau par quelque fée prévoyante, il lui convient de les entretenir en se livrant à la plus austère des disciplines : Grand-père ne faillissait pas à cette règle et chaque jour faisait ses gammes dès le petit déjeuner ; assis en face de lui, mes jambes ne touchaient pas le sol en planches, et je le regardais tremper ses tartines dans un bol de muscadet tandis que sur mes lèvres un café noir très fort dessinait les échancrures de petits nuages amers.

Ainsi Grand-père chaque jour, et du matin

au soir, buvait-il sa fortune avec la plus lucide des félicités.

*L'Excelsior* n'avait pas d'âge. Il émergeait de la nuit des temps des buveurs à la façon de ces temples que l'on dirait édifiés en des ères géologiques. Qui l'avait construit ? À quelle époque de dramatiques assassinats, de révolutions sanguinaires, un esprit en proie au repli et flatté par la noirceur des pièces avait ébauché l'idée de cet antre étroit, manière de boyau tortueux où trois hommes de front tenaient à peine, et dans lequel le comptoir en fin de course, grâce à sa carapace de zinc, revêtait des allures de lutteur casqué ?

Parfois, vers les soirs de tiédeur, Grand-père en verve, juché sur cet autel brandissait une bouteille, et lançait de mystérieux propos que je comprenais mal. Son cœur débordait de trop de poésie que les spiritueux rendaient bafouilleuse dans sa bouche. Il esquissait quelques mots, poussait une chansonnette à l'énigmatique refrain – *Lilas blanc, lilas mauve, donne ton sang et me sauve* – puis finissait par se taire, un peu surpris. Ses compagnons emprisonnés dans leurs salopettes en bleu de chauffe, passée une certaine heure bien indéfinissable, auraient pourtant pu sans mal pénétrer tous les oracles des pythies les plus hermétiques, mais Grand-père avait ses pudeurs et se retenait dans ses prophéties inspirées des alcools fruitiers ou bien encore des verjus de l'Anjou. Il fut donc un poète du silence et ce qu'il n'a jamais osé dire valait bien, j'en suis certain, un plein boisseau de lauriers tressés.

Souvent, dans ces moments-là, il commençait à lever son verre et ses lèvres s'ouvraient comme pour dévoiler le grand mystère des choses borgnes, mais les mots lui manquaient, son regard se perdait dans le rang des plus hauts anisés, sur les étagères des monarques verdâtres, de ceux qui, en se précipitant dans le fond des verres, précipitent aussi les destins de ceux qui les consomment vers les démarches titubantes et les gueules de bois toutes méditerranéennes.

Il finissait par hausser les épaules, puis baissait les bras et murmurait parfois à peine audible, le prénom de ma grand-mère, Léocadie, morte en couche à vingt-deux étés, après une agonie de trois jours dans un lit baigné de sang. Une larme de chagrin venait à ses yeux, à moins qu'elle ne dût sa naissance au picotement provoqué par tous les mauvais tabacs, à pipe et à rouler, qui se fumaient dans le bistro.

« Viens donc Jules, disait au bout d'un moment un buveur raisonnable, ne réveille pas les morts, ils ont bien trop de choses à faire, sers-nous donc une tournée… »

Et Grand-père quittait son piédestal, un peu tremblant, emporté sans doute par le souvenir de cette femme qu'il avait si peu connue, si peu étreinte, et dont la photographie jaunissait dans sa chambre au-dessus d'un globe de verre enfermant une natte de cheveux tressés qui avaient été les siens, et quelques pétales de roses à demi tombés en poussière. Il saisissait une bouteille, prenait son vieux torchon à carreaux écossais et, lent comme une peine jamais surmontée, allait remplir les verres des clients.

J'aimais Grand-père comme on aime à huit ans : avec ferveur et vénération. Et même si le curé que je servais chaque dimanche sous mon aube gaufrée ne lui avait pas encore trouvé d'autel ni de niche en son église, j'étais certain que mon Grand-père parvenait quand il le voulait à tutoyer les anges et à discuter de la pêche au brochet, des chanterelles en tube et de l'odeur un peu surette des pommes blettes, avec saint Pierre ou la Vierge Marie.

Les matins, il se levait à l'aube, quand le bistro dormait encore dans ses vapeurs de fumée et son haleine de marinade. Il ramassait les canons, vidait les cendriers de métal offerts par une marque de vulnéraire, ouvrait un peu la porte vitrée sur laquelle un rideau hors d'âge achevait de jaunir : « Change-le donc, ce vieux fichu de sorcière », lui disait presque chaque jour un habitué à cheval sur l'esthétique bourgeoise, « on dirait des langes pas propres ! ». Grand-père opinait sans mot dire, sachant que dans le commerce, fût-il celui de la limonade, de la houille et du bois mort, il ne faut jamais contrarier le client tatillon. Mais quand l'autre était parti, il finissait par répondre à haute voix, parlant à je ne sais quel fantôme, que les robes de mariées sont encore plus belles quand les années déposent en leurs soieries la fatigue des jours, et qu'un rideau retient parfois, en plus de la crasse, un peu des peines du monde et tous les sourires d'une vie.

À grand renfort d'eau de Javel, il rendait ensuite au plancher sa blancheur âpre de bois à peine tombé de l'arbre, et fendu. La vaisselle était faite, le premier café corsé de goutte tremblotait sur le carreau du poêle qui semblait dire son horoscope. Debout derrière son comptoir, Grand-père pouvait alors se plonger dans sa branlante comptabilité comme dans les versets d'une bible.

Dans la rue, le laitier aux allures d'innocent de village passait de porte en porte pour déposer en sautillant de petits bidons sur les paliers ; il avait des oreilles très rouges semblables à de complexes crêtes de coq, et chantonnait toujours des airs à la mode en balançant la tête de gauche à droite dans un mouvement de métronome. Puis venaient le boulanger et sa deux-chevaux fourgonnette, le porteur de journaux, les ouvriers en bande qui partaient à l'usine en se lançant des plaisanteries, la casquette rejetée en arrière, le mégot canaille glissé au bord des lèvres et, sur l'épaule, une musette oblongue qui contenait la cantine en fer blanc et le litron de piquette. Un peu plus tard passaient les contremaîtres, un peu raides et souriant à peine; puis, plus tard encore, les ingénieurs, que Grand-père surnommait *les constipés de l'âme*, rigoureusement raides ceux-là, sans sourire aucun et qui se distinguaient des précédents par leurs chemises blanches, leurs cravates sévères et leur façon hautaine de poser le pied sur les trottoirs comme si chaque pas eût risqué de leur faire toucher la fange ou bien la merde de chien. Je les regardais souvent, la bouche ouverte, ces créatures exotiques, ces êtres si différents de moi que je ne semblais à leurs yeux pas même exister, ainsi que me l'indiquait le bonjour joyeux que je leur lançais et que jamais ils ne me rendaient.

« T'en fais pas, petit, eux aussi ils vont aux cabinets ! » me disait Grand-père, comme pour m'extraire de ma stupide contemplation et me consoler. La phrase, à mes heures paresseuses, résonnait dans mon petit esprit et j'essayais d'imaginer les cabinets des ingénieurs : les nôtres, ceux du bistro, étaient dans le jardin, une cabane de bois noir avec à l'intérieur une planche en sapin, percée d'un trou rond, et patinée comme un cuir de selle à vélo. Au mur, il y avait entassés sur un grand clou tordu des paquets de feuilles de journal, et quand au cœur de l'été on s'enfermait dans la boîte, la musique ronfleuse de grosses mouches bleutées et leur ballet vibrant donnaient au lieu une singulière effervescence.

Sans doute les cabinets des ingénieurs étaient-ils faits d'un bois plus noble, chêne, merisier, cèdre ou palissandre, le clou devait être doré, les mouches moins bruyantes, mieux élevées, et les carrés de papier ne provenaient certainement pas de l'âpre journal régional, dont l'encre noire finissait par déteindre sur les fesses, mais de magazines en couleur, au papier glacé, remplis de photographies de vedettes de cinéma.

Le facteur, droit sorti d'un musée des Postes ou d'un album d'images d'Épinal, passait vers neuf heures. C'était notre premier client : il ne s'asseyait pas, restait près du comptoir, dans une sorte de hiératisme épistolaire, la main droite sur sa sacoche en carton bouilli, et vidait d'un trait le *sucron* – c'est ainsi qu'on nommait les petits rhums du matin – que Grand-père lui servait. Le facteur claquait ensuite sa langue, puis disait : « Ce qu'on serait bien tout de même, à ne boire que ça ! » Il disait toujours la même phrase, chaque jour, au même moment, sur la même intonation de voix, rêveuse et douce ; et Grand-père lui servait alors toujours la même réplique, chaque jour, sans jamais paraître ni lassé, ni mécanique : « Patience, Raymond, patience… au Paradis, il en pleut chaque soir… »

Le spectacle des vies simples, et des malheurs qui le sont tout autant, avait besoin de cet ordonnancement de théâtre, de gestes chaque jour refaits, et d'hommes qui connaissent leur rôle à la perfection, et le jouent sans jamais se lasser. Il s'agit vraiment de cela, en définitive, et de rien d'autre : la plus banale des destinées n'échappe pas à son mouvement de balancier. L'homme soupire après des rituels autant qu'après les imprévus. L'ordinaire des gestes du modeste quartier de notre petite ville industrielle, qui ne se montait pas du col, en faisait un faubourg du monde, un frère de milliers de banlieues rances et joyeuses.

J'ai vécu plus de trois années aux côtés de Grand-père, après la mort de mes parents, et avant qu'un sbire à lunettes, étranglé dans le col amidonné d'une mauvaise chemise, ne décidât qu'au nom de la protection de l'enfance ma place était plus dans une morne et catholique famille d'accueil que dans un lieu de perdition liquide.

J'aurais donné tout ce que je ne possédais pas alors pour demeurer avec Grand-père, à entendre les propos codés des clients qui débattaient des saisons et du cours des rivières dans un langage fait de phrases qui jamais ne se terminaient, de regards embués, et de mains tremblantes aux doigts noueux. Ces hommes, qui se fréquentaient depuis l'enfance, n'avaient plus guère besoin des mots pour se parler, ni pour se comprendre, et en se regardant les uns les autres, par-dessus les tapis de velours vert et les jeux de cartes graisseux, c'est comme s'ils voyaient au fond d'eux-mêmes, dans une transparence que les langages, fussent-ils maniés par les plus habiles littérateurs, ne parviennent jamais à surfiler.

*L'Excelsior* était ouvert tous les jours de la semaine, ainsi que le dimanche matin. Ce jour-là, il attirait les mécréants qui préféraient le bouquet des Alsaces champagnisés à celui de l'eau bénite. À dire vrai, c'était les mêmes clients que durant la semaine ; à force de hanter le lieu, ils en avaient fait comme une seconde maison, plus calme que la leur, et dans laquelle les rares cris n'étaient pas des réprimandes de vieille épouse aux cheveux jaunes mais des effrois d'hommes scandalisés devant la balourdise d'un beloteur distrait.

Mais le dimanche, on s'habillait tout de même : les costumes remplaçaient les bleus. La plupart de ces hommes n'en possédaient d'ailleurs qu'un, le plus souvent celui de leur mariage, qui avait traversé les modes, quelques enterrements, ainsi qu'un demi-siècle dans l'entêtante compagnie de la naphtaline. Si certains corps avaient grossi, le costume s'était adapté, et saucissonnait désormais l'individu que jadis il servait galamment. Les gestes dominicaux en subissaient une majesté guindée, une sorte de lenteur et de gêne protocolaire qui finissaient par déteindre sur les conversations, un semblant plus sérieuses.

Même les alcools ingurgités se distinguaient des communs liquides de la semaine : on aimait ce jour-là les pétillants de toutes sortes, et lorsque je rentrais de la messe sous le regard désolé de certains, il régnait dans l'établissement une légèreté électrique qui faisait luire les regards plus que de coutume, comme si tous ces hommes soudain ragaillardis s'apprêtaient à courir au plus proche bal ouvert pour y lever leur première danse.

« Tu n'as donc pas pu le guérir de sa maladie, ce petit ! » lançait à mon adresse le plus enragé des bouffeurs de curé. « Laisse-le donc tranquille », répondait Grand-père, « il est notre ange qui rachète tous nos vices... », et lui qui rarement manifestait sa tendresse ne manquait jamais en ce moment, et devant tous les autres, de m'embrasser sur les deux joues.

J'aimais par-dessus tout le départ du dernier client, en ce jour, car il signait pour quelques heures l'absolue complicité qui me liait à Grand-père : une après-midi nous était offerte à tous deux, une entière après-midi qui selon les saisons nous menait à musarder le long du canal et sur le port, dans les forêts de feuillus envahies de fougères, ou bien encore au bord de la rivière pour y pêcher le chevesne aussi bien que les souvenirs.

« Comment elle était ma maman, Grand-père ? Et mon papa ? Il était fort ? » Mon grand-père se lançait alors à l'assaut des monuments ; ou plutôt, il construisait les édifices, n'hésitant jamais pour faire briller la légende de mes géniteurs à employer les plus nobles matériaux qui pussent à mes yeux les rendre aussi grands et respectables que les meilleurs des parents.

La vérité, je l'ai su bien plus tard, était qu'il n'avait guère connu ces deux couillons qui m'avaient infligé le jour dans un moment de dramatique égarement avant, quatre années plus tard, de se donner la mort dans un sordide garni d'une banlieue de Bruxelles. Avoir voulu vivre de poésie les avait droit conduits à l'indigence la plus noire, celle-là même que le manque de talent ne parvient pas à sauver du ridicule et de la férocité. Même leur suicide commun fut raté, et ils ne durent leur mort qu'à la bienveillante inexpérience d'un interne de garde qui s'évanouit devant leurs poignets ouverts avant même d'avoir pu les réanimer.

Le ciel très haut levé était d'un bleu de porcelaine. Quelques nuages y traînaient en silence, ronds et gras. Grand-père parlait, parlait, tout en tirant de temps à autre un litron de Brouilly qui prenait le frais dans les courants, retenu à la berge par une tresse d'ajoncs. Je respirais le vent de mai, les yeux au loin de mes huit ans, dessinant grâce aux fables qu'il me disait la beauté de ma mère, sa grâce de princesse de conte, ses yeux, « des diamants de Caspienne, oui, de Caspienne, petit... »

La Caspienne a dû produire autant de diamants que l'Antarctique de palmiers, mais c'est bien la vertu des péniches que de nous faire rêver et de nous amener, par la singularité de leurs noms de baptême, vers des pays et des villes, des espaces infinis que nous sommes libres ensuite de reconstruire et d'habiter : Grand-père se saisissait de ce qu'il voyait pour me contenter et broder des histoires promptes à consoler un garçonnet naïf.

Il a fallu, bien des années plus tard, que je revienne dans le port de la petite ville pour que s'évanouisse le mystère des beaux yeux de ma mère : dans les bassins aux eaux graisseuses, des coques rouillées achevaient de crever leur panse inutile : tout s'affaissait dans la profondeur glauque du canal, et ce qui jadis avait résonné des claquements des pas des mariniers sombrait alors dans le silence des eaux lasses. Seuls des noms peints vacillaient encore et se miraient dans l'eau bourbeuse, des noms qui avaient été lancés d'Anvers à Cologne, de Mannheim à Rotterdam, à chaque écluse franchie, à chaque chargement livré, des noms qui sommeillent sans doute aujourd'hui dans les registres clos de bien des capitaineries ou dans les archives à l'encre pâle de vieilles comptabilités : *Kiev, Fracasse, Lisa, L'Autre Rive, Prima Bella, Coutume, La Coquine, Aster, Lisieux, Caspienne, Diamant…*

La coque crevée de *Caspienne* se parait de mousses et d'algues le jour où je l'ai découverte ; et de la cabine rafistolée de *Diamant*, trois chats maigres se sont enfuis en hérissant le dos, suivis de près par un clochard qui avait dormi là. Quand celui-ci est parti en titubant, il m'a pris pour un autre, « T'aurais pas dû revenir, non, vraiment, t'aurais pas dû, il faut jamais, c'est pas correct de ta part… », m'a-t-il lancé, et puis il s'est éloigné en haussant les épaules, et a rejoint les chats qui paraissaient l'attendre. Ce jour-là, je n'ai pas eu le cœur de pousser jusqu'à ce qui devait rester de *L'Excelsior*. Les yeux de ma mère ont pris dès lors une couleur de nuit grise. Et je ne les ai jamais plus vus.

Grand-père ainsi me réécrivait le monde, l'arrangeait à sa façon, pour me plaire, me consoler, parfaire mon éducation familiale ou historique.

Ainsi les tables et les chaises du bistro me permirent-elles bien souvent de me représenter les carrés anglais résistant aux assauts français lors d'un 18 juin de mémoire, belge et fatidique. Grand-père était insatiable sur le sujet de Waterloo. À mesure qu'il me racontait la bataille, il s'échauffait et rentrait dans son rôle : le balai-brosse lui servait tout à la fois de bâton de maréchal, de bayonnette et de cheval, et son torchon à carreaux écossais de tente et d'uniforme. Souvent, lui, mimant la vaillance des grognards, et moi applaudissant, nous avons tous deux remporté le dernier combat de l'Empereur, dans l'espace restreint du café assoupi et le cours inversé des Chroniques. Que l'Histoire nous ait, cent cinquante années plus tôt, donné tort, n'était au fond qu'un incident mineur. À nous seuls, nous parvenions à perpétuer le mythe de la Grande Armée.

Le soir, quand le bistro était enfin livré à lui-même, dans l'inégalable tranquillité des choses, Grand-père se couchait dans un vaste lit creusé par le temps et son poids de géant. Un édredon énorme rajoutait à son ventre des rondeurs monstrueuses. Le sommeil le prenait vite, puis ses ronflements emplissaient la pièce, et je ne pouvais m'endormir sans les entendre, ces bruits d'hélice, de forge et de moteur, car j'avais le sentiment que leur symphonie barbare était le cri d'une vigie chaleureuse qui veillait sur ma jeune vie pour éloigner d'elle tous les assauts du mal.

En plus des relents de vin et de pieds humides, qui étaient comme son constant remugle, sa marque d'identité, *L'Excelsior* se parfumait de produits de saisons qu'amenaient, loin des regards policiers, les clients. Des lièvres pansus sortaient magiquement à l'automne de sacs en toile bleue que les années avaient rendu informes, quand ce n'étaient pas trois perdrix dont le décès brutal n'avait étonné qu'elles. Leurs fines plumes se décollaient de leurs gorges quand elles passaient de main en main parmi les connaisseurs, et leur œil rond, clair comme l'eau d'un torrent de montagne, paraissait guetter une réponse au pourquoi de leur mort.

Les vieux clients de mon grand-père retrouvaient dans ces naïfs braconnages les émois de leur enfance, le jeu malicieux de la peur qui pimente les plus simples plaisirs comme celui de se cacher des adultes ou d'abuser un garde champêtre. Parfois, dans l'arrière-salle du bistro réservée aux seuls intimes, se confectionnaient des nasses étroites en osier et en grillage à poule. Ces pièges formidables demandaient des heures de patience aux doigts experts qui les fabriquaient comme les tirant d'une mémoire ancestrale. J'étais ébloui par ce qui prenait forme en peu de temps et dans une économie de parole quasi monacale. Car les complices échangeaient il est vrai très peu de mots, comme si leur mutisme était la condition de leur impunité. Mais ils ne gardaient néanmoins pas les lèvres constamment closes car mon grand-père qui surveillait la manœuvre tout autant que la porte savait ne jamais laisser un verre vide.

Au prix de mille ruses et de mille efforts nocturnes pour ces arthritiques consommés que le moindre brouillard, la plus faible humidité rendaient gémissants comme des christs en Golgotha, les pièges étaient glissés le long des berges de la rivière, puis relevés à l'aube suivante, avant que la ville ne s'éveillât vraiment.

Les conspirateurs se retrouvaient alors dans l'arrière-salle et vidaient sur une toile cirée, qui représentait des carniers vides et des faisans joyeux, la capture nocturne : les nasses ne ramenaient que du fretin, goujons à la gueule barbue, petites brèmes plates, ablettes de fond trop émotives pour demeurer vivantes une fois capturées et qui gisaient, bleutées, raides comme des piquets de tente, avec la gueule ouverte, au milieu de leurs remuants congénères, chabots hydrocéphales, anguilleaux serpentins, vairons à la peau douce comme une joue de nouveau-né, épinoches hirsutes et qui tendaient leurs dards comme les matamores de mes livres brandissaient leurs épées de carton, barbeaux placides et résignés, écrevisses hautaines.

Après l'avoir commenté et décrit longuement, Grand-père jetait le butin, sans même le nettoyer, dans un grand fait-tout en fer blanc, y ajoutait deux litres de *gris de Toul*, dix grosses pommes de terre, trois oignons pelés, un bouquet garni, cinq clous de girofle, une poignée de sel, une pincée de poivre et un peu de muscade; puis il couvrait et mettait sur feu doux. Ce plat, qu'il avait pompeusement nommé *Corbeille d'eau douce*, ronflait ensuite dans ses bouillots jusqu'au repas de midi.

Neuf heures n'avaient pas encore sonné

à l'église. Il était temps de prendre le premier apéritif.

Dehors, les ingénieurs s'ingéniaient gravement à rejoindre l'usine.

Au repas, jeté dans les assiettes de faïence à grands coups de louche, le plat enchantait ceux qui avaient rendu possible son exécution ; sans doute les quelques convives goûtaient-ils dans l'affreuse soupe couleur de boue quelque chose qui n'était pas du domaine de la succulence culinaire mais de l'ordre de la nostalgie et de l'émotion : la Corbeille d'eau douce faisait clapoter dans son jus bien plus que des petits poissons ; elle mêlait dans son mariage les souvenirs de gamins de douze ans qui, en godillots cloutés, crânes rasés et croûtes aux genoux, allaient en maraude le long des berges d'une rivière adolescente, pénétraient en silence un doigt sur la bouche dans des vergers fleuris qui n'avaient pas encore connu les guerres, et lutinaient des filles très roses dans des prés surpiqués d'anémones. À voir les vieux visages se régaler et les yeux briller d'un éclat que les ballons de blanc rendaient davantage larmoyants, j'avais un peu honte en moi-même de trouver le *rata* exécrable, et me forçais à en reprendre pour y découvrir le secret de l'émerveillement.

Été comme hiver, vers les trois heures de l'après-midi, Grand-père fermait d'un tour de clef la porte de *L'Excelsior* pour aller faire un somme : s'il y avait des clients attablés, tant pis pour eux, ils restaient dans l'établissement, devant leur verre, en le faisant durer le plus possible, sans oser déranger le patron, ni même se resservir seuls ; et si d'autres clients arrivaient, tant pis pour eux aussi, il leur fallait patienter sur le banc – une traverse des chemins de fer posée sur deux lingots de fonte – placé devant la vitrine, en attendant la réouverture.

Grand-père ne prenait pas la peine de monter dans sa chambre et allait coucher sa fatigue dans le cellier : c'était une sorte de grotte aux parfums de graines sèches et de foins tellement antiques que le rongeur le plus affamé les eût dédaignés même par un temps de grande disette. À peine quelques loirs y dormaient-ils parfois quand ils n'avaient pas trouvé ailleurs de couche plus à même d'accueillir leur léthargie. Grand-père à la façon des chats se coulait entre trois cageots remplis de pelotes et de cordeaux, deux bottes de raphia, un boisseau d'outils aux manches culottés, trois vieilles couvertures damassées dans lesquelles s'entortillaient des griffes d'asperge et des oignons de tulipes.

Les sommeils des siestes paraissent étirer les vies, et les dormeurs du jour se repaissent de force que la nuit jamais ne dévore. Le temps s'écoulait dans le cellier comme l'eau au bord du bec moussu d'une fontaine de village. Soudain, tout prenait la lenteur du goutte-à-goutte.

Souvent je m'approchais à deux pas de Grand-père, posais mes fesses sur le sol en terre, inégal et fendillé, et je le regardais dans sa paix d'homme las.

Les années entaillent le front des hommes à mesure qu'elle ronge leurs cœurs et si l'on dit que la vie se lit sur l'usure d'un visage, c'est que nos corps penchés trahissent nos errements et nos peines. Mais il suffit parfois qu'une main – celle des songes, ou la nôtre – ferme les yeux à ceux que l'on aime pour les voir redevenir jeunes et beaux, purs des crasses et des suints du malheur.

Quand je contemplais Grand-père durant les longues siestes du cellier, je remontais à ses côtés le cours d'un temps dans lequel il n'était plus depuis des lustres.

À quelques pas de nous, le cliquetis apaisé des verres dans le bistro témoignait pour moi d'un décalage inespéré, et quand je posais ma petite tête de moineau contre la grosse chemise de laine, et sentais tout à la fois le parfum de bois brûlé, le souffle de vin, le soulèvement mesuré de la poitrine, j'embarquais pour un voyage dans une géographie chaleureuse, sans crainte ni redoute, au terme duquel, moi-même cédant au bon sommeil, je retrouvais la tiédeur tendre, enserrante et confuse, du réconfort premier.

Il arrivait que Grand-père, pour je ne sais quelle mystérieuse affaire, eût à se rendre en ville. Je veux dire la Grande Ville, pas la nôtre où tout le monde connaissait tout le monde, et où les trottoirs ne s'usaient guère sous les semelles des passants.

Non, la Grande Ville était un monde bien à part : elle avait son odeur et ses bruits, son agitation, ses policiers goguenards régnant sur leur carrefour comme des chiens aux abords d'une pisseuse niche, sa hauteur, de tours, de monuments, d'immeubles majestueux, ses habitantes vives, toujours pressées et dont les lèvres rouges me semblaient pareilles à de poétiques soleils au couchant. Un tramway sillonnait, parmi l'éclaboussure d'étincelles de ses roues, les larges avenues bordées de vitrines dans lesquelles des mannequins de cire se saluaient gravement. Les magasins de jouets côtoyaient les pâtisseries dont les gâteaux me semblaient toujours plus gros que les nôtres, et davantage crémeux.

Grand-père bouclait *L'Excelsior*, descendait le rideau rouillé qui n'arrivait plus jusqu'au sol, et posait dessus un panneau offert par une marque de digestif «*fermé pour cause de…*». Jamais il n'écrivait la cause. «Mes gars s'en fichent, le drame pour eux, ce n'est pas la cause, c'est la fermeture.»

Et nous prenions l'autobus de la compagnie *Les Rapides du temps*: l'engin n'avait de rapide que son appartenance à la firme.

Il égrenait les kilomètres avec toute la souffrance de son moteur asthmatique et de ses essieux éreintés. Son chauffeur était un ivrogne notoire du nom de Mercepied qui, pour ne pas créer de jalousie et par une sorte de philanthropie éthylique, avait ses habitudes dans tous les bistros de la petite ville.

Quand il prévoyait notre voyage, et qu'il apercevait Mercepied franchir le seuil de *L'Excelsior*, Grand-père refusait dans un premier mouvement de le servir : « Ne t'offusque pas, Jules, répondait le chauffeur, je ne conduis bien que saoul, j'épouse mieux ma machine et la route. » Grand-père qui n'avait jamais tenu un volant de sa vie abdiquait alors devant l'argument du professionnel, mais diminuait toutefois un peu les doses prescrites.

Il est à porter au crédit de Mercepied qu'il n'eut jamais de sa carrière un seul accident, avant le dernier : remontant de Lourdes au terme d'un pèlerinage éprouvant, il fracassa son véhicule contre un solide platane auvergnat, tuant en un instant en plus de sa propre personne trente-deux croyants, dont trois paraplégiques, qui l'avaient contraint, sous peine de dénonciation à la maréchaussée, à l'eau plate et au jeûne durant toute la semaine sainte.

Le curé ayant refusé de l'accueillir en son église, ses obsèques furent célébrées à *L'Excelsior* dans une atmosphère de ferveur mystique : à cette dramatique occasion, Grand-père et les habitués rattrapèrent en vin blanc ce qu'ils perdirent en larmes. La beuverie ne s'acheva qu'à l'aube, et quand j'allai le lendemain matin aux cabinets avant de partir à l'école, dormait dans la cabane le facteur, à genoux, les mains jointes sur la planche trouée, comme s'il priait dans son sommeil comateux un dieu souterrain et moqueur au son de la musique nerveuse des premières mouches levées.

Quelques semaines plus tard, Verdaillon,

un instituteur poète de nos clients, qui puisait depuis sa retraite son inspiration dans la mominette, vissa face au zinc une plaque commandée chez le marbrier voisin et sur laquelle il avait fait écrire :

*À la mémoire de Stefan Mercepied,*
*homme de cœur et de corps,*
*mort au combat.*
*1919-1967*

« Quel combat ? » lui fit remarquer un oiseux de passage qui buvait pingrement un galopin. Six regards le fusillèrent, et Verdaillon répondit : « Le plus terrible des pugilats, la lutte suprême, le pancrace inégalable, le combat effroyable et titanesque, toujours à recommencer, celui contre les cons de ton espèce… À vos armes Messieurs ! »

Les habitués mirent dans un claquement de bottes en caoutchouc leurs verres à pied au garde-à-vous, et descendirent la tournée dans un silence de Panthéon. La tête basse, le con quitta l'arène. Pour ne plus jamais y reparaître ensuite.

Dans son autobus, Mercepied se parlait à soi-même. Et quand il était las de s'entendre se questionner et se répondre, il faisait la conversation à sa machine qu'il avait surnommée Tiennette. « Vingt ans de vie commune ! » se plaisait-il à dire, « et jamais une infidélité ! », ajoutait-il quand il débarquait les bagages en flattant les soutes de la main comme s'il s'était agi des hanches d'une coquine.

Il portait une casquette particulière, qui ressemblait fort à celle des policiers newyorkais, démesurée, hexagonale, et dont la visière noire vernie réfléchissait les rayons du soleil. Près de son volant immense, il y avait la machine à distribuer les billets qui faisait un son de mitraillette lorsqu'il l'actionnait pour nous délivrer les fins coupons couleur saumon ou lilas ; de l'autre côté un panonceau indiquait qu'il était interdit de parler au chauffeur, de cracher, et de transporter des animaux ne rentrant pas dans une caisse. Rien n'était dit sur la dimension de ladite caisse.

Après un parcours de trois quarts d'heure, *Le Rapide du temps* laissait en ville sa compagnie abasourdie par les cahots du voyage et les fumées d'échappement qui s'immisçaient jusque dans l'habitacle. Chacun débarquait un peu groggy et posait le pied sur les pavés de la place de la Cathédrale dont les tours accrochaient le ciel et l'émotion naïve de l'enfant de chœur que j'étais alors. Je ne pouvais croire que le même Dieu visitait notre misérable église qui sentait souvent le grésil et la sueur, et dans le même temps, l'édifice hautain duquel s'échappaient souvent, par les deux vantaux ouverts de son portail, de pompeuses funérailles empanachées et de délicats parfums d'encens.

Quand nous marchions dans la Grande Ville, Grand-père et moi, nous avions l'air de deux égarés, gauches de gestes et d'allure. Nous n'étions pas chez nous. Sa grosse main serrait tant la mienne, chétive, qu'au soir de ces promenades, il avait tant pressé mes doigts que je ne pouvais les décoller et qu'ils restaient blancs comme des haricots beurre. « Ne me quitte pas », me répétait-il sans cesse, et ces propos me paraissaient toujours porter bien au-delà des après-midi citadines pour s'appliquer à une vie que je pressentais riche en aspérités.

C'est dans l'étourdissant vacarme de ces heures urbaines, au milieu des courants humains qui nous chahutaient sans cesse, que j'ai deviné pour la première fois que mon grand-père pût être mortel. Là, j'ai su que lui aussi serait un jour couché sous la terre et qu'il ne pourrait pas toujours veiller derrière mon épaule, sur mon sommeil, et poser sa main énorme contre mon front quand j'aurais de la fièvre, ou tout simplement peur.

Hors de son bistro, il me semblait comme les héros de mes livres d'histoire qui perdaient de leur puissance quand un costaud les décollait du sol ou qu'une belle leur coupait une natte de cheveux. La Grande Ville fatiguait sa marche et ses traits, voûtait ses épaules, ternissait sa moustache. Même son œil d'ordinaire éclatant d'une eau malicieuse prenait là une taie mate, comme une salissure triste.

Le but de notre voyage nous amenait dans un immeuble froid rempli de mines grises et de femmes rigoureuses. J'attendais Grand-père assis sur une chaise dans le hall. Il entrait dans un bureau pour y rester le temps d'un *roudoudou*. Des dames trottinaient devant moi dans des jupes qui leur enserraient les cuisses et soulignaient leurs croupes gainées. Elles avaient des cheveux relevés qui leur donnaient des hauteurs élégantes, des ongles peints et des chaussures à talons pointus. Plusieurs en passant me caressaient la joue d'une main attristée et murmuraient «pauvre petit, pauvre enfant, si petit et si seul déjà» et d'autres fadaises que je balayais d'un revers d'âme en songeant aux diamants de *Caspienne*.

Grand-père ressortait du bureau accompagné par un homme qui me posait quelques questions, toujours les mêmes, et me tâtait les bras, regardait mes genoux, mes cheveux, m'ouvrait la bouche, scrutait mes ongles, inspectait mes dents, comme si j'avais été un cheval. L'homme avait la même cravate que les ingénieurs, et comme eux une mine sévère. Je me souviens très bien aussi de son haleine de betterave terreuse mêlée à des relents de vinaigre, et de son nez sur lequel des myriades de veinules éclatées dessinaient d'innombrables deltas saignants. Il finissait par donner à Grand-père, en soupirant et du bout des doigts, comme s'il se fût agi d'une ordure, un papier revêtu de multiples tampons. Puis nous partions, et je devinais Grand-père soulagé d'un poids immense, jusqu'au prochain voyage.

« Qu'est-ce qu'il sent mauvais, le Monsieur », lui disais-je. « C'est parce qu'il fait un sale métier, il faut bien que ça transpire quelque part ! » me répondait Grand-père. Et la journée enfin pouvait être belle.

Grand-père m'achetait une glace ou bien une gaufre ennuagée de sucre à un vieil Italien tout de blanc vêtu qui pédalait sur un triporteur. Nous nous promenions entre les cages du zoo où des lions fatigués bâillaient après une mort qui ne voulait pas d'eux. Les singes plus philosophes pissaient au nez des promeneurs ou leur lançaient de grandes giclées de salive en ricanant.

Immanquablement, nos pas nous amenaient rôder le long des grandes baies dentelées de vitraux glauques et carmins de *L'Excelsior*, l'autre *Excelsior*.

Il n'avait de commun avec le bistro tenu par mon grand-père que son nom à traîne latine. Car pour le reste, il ne faisait couler ni les mêmes liquides, et ne désaltérait pas les mêmes gorges.

Ses proportions l'apparentaient à un hall de gare bouffi, saturé de lampes en forme de tulipe qui donnaient aux plafonds moulurés de feuilles de fougère des lueurs assourdies qui se vrillaient sur elles-mêmes dans leur clarté pâteuse. L'infinité des tables, les danses mécaniques de la troupe de serveurs habillés de grands tabliers blancs et de pantalons noirs, les palmiers démesurés qui jaillissaient de pots en grès luisants, les boiseries décorées d'ombellifères et les barres de cuivre du comptoir gigantesque derrière lequel une grosse dame au visage de caniche dominait de ses doigts bagués un tiroir-caisse arrogant, composaient à mes yeux un théâtre grandiose.

Un lièvre saignant, une carpe à la panse gluante ou bien encore un panier de girolles ne pouvaient s'imaginer dans un tel lieu, pas plus que des cris, des engueulades, des réconciliations tapageuses. Les clients buvaient dans les tasses blanches pleines d'éducation, ou dans des verres taillés à facettes qui se tenaient bien droits. Il y avait des messieurs plongés dans la lecture de grands journaux sans images qui s'enroulaient autour de fines baguettes de bois ; d'autres conversaient entre eux, amollis dans les banquettes profondes, tirant sur des fume-cigarettes ou des pipes cambrées. Aucun ne montait sur une table pour y exécuter quelque danse berbère ramenée des anciennes colonies, comme nous les enseignait souvent Briou, surnommé l'Arbi, dès qu'il avait passé neuf Ricard. Aucun non plus n'était debout, accoudé au comptoir à brailler une chanson un peu leste comme celle de notre facteur où il était question de *bidon* et de *jambon*, de *caleçon* et de *téton*. D'ailleurs, seuls les serveurs paraissaient autorisés à approcher du comptoir pour prendre les consommations avant de passer devant la dame à tête de chien de riche qui faisait vibrer sa caisse et leur donnait un ticket. Le *quatre-vingt-un* semblait ici inconnu, de même que la belote. Mais la différence majeure avec le café de mon grand-père venait de la présence des femmes.

Une loi non écrite, coutumière en quelque sorte, interdisait l'entrée de notre boyau au beau sexe et aucune de ses représentantes n'aurait osé la braver. À peine ai-je vu, une seule fois, une touriste égarée franchir notre porte un cric à la main, et demander aux buveurs médusés, qui débattaient jusqu'alors de complexes formules de distillation clandestine, de l'aide pour changer une roue crevée. La pauvrette dans sa jupe en vichy bleu pâle rehaussé d'arabesques de cambouis s'encadrait à contre-jour dans l'huisserie de guingois. Elle était aussi perdue et haletante qu'un jeune animal traqué par des chasseurs. L'obscurité du lieu la dépaysait plus encore, et elle n'osait entrer davantage, se contentant de répéter d'une voix fluette sa demande. Après avoir laissé passer sa première stupeur, Grand-père quitta son zinc, lissa son torchon à essuyer autour de son cou à la façon d'une étole, et marcha vers elle d'un pas martial. Puis, arrivé à deux souffles d'elle, il lui dit sur un ton sourd : « Veuillez sortir, Madame, vous êtes ici dans un temple, vos questions profanes troublent notre prière ». Le style policé de la phrase, si peu habituel dans la bouche de mon grand-père, devait être dû, il est vrai, à l'intervention de quelque Dieu, du vin s'entend.

Toujours est-il que l'émouvante automobiliste balbutia des excuses, de confusion laissa tomber son cric, et sortit à reculons en inclinant plusieurs fois la tête vers le sol, tandis que le soleil de juin dessinait au travers de sa jupe légère la courbe limpide de ses cuisses.

Le cric alla rejoindre ce que Grand-père nommait, selon l'humeur, les reliques ou les trophées : dans une sorte de vitrine crasseuse, qui prenait place entre les vermouths et les sérieux – c'est-à-dire tous les alcools qui titraient plus de 45 degrés – patientaient des objets singuliers qui n'entretenaient d'autres rapports entre eux que leur fonction commémorative : Grand-père est toujours resté avare d'explications dès lors que je l'interrogeais sur la signification de quelques-uns de ces souvenirs incarnés. Aussi n'ai-je jamais su quels événements capitaux rappelaient la manche de chemise, coupée grossièrement à hauteur du coude et punaisée sur une plaque de liège, le cendrier à demi fondu mais au fond duquel on pouvait encore lire l'étrange paraphe manuscrit « *Bientôt les murailles, rondelle ou pas !* » ou encore le vieux coing, tout ratatiné, réduit à une comique taille de noix, et dont la couleur avait viré au gris roussâtre.

Grand-père d'ailleurs le savait-il encore lui-même, ou étaient-ce là les simples signes rassurants qui ponctuaient à leur façon le temps et les moments heureux, comme pour signifier qu'une vie se décline aussi bien dans le hasard des choses effleurées par nos mains, que dans les rires de ceux que l'on aime ?

Les femmes de *L'Excelsior* de la Grande Ville ressemblaient à des sujets de peinture. Derrière les vitres, je les devinais peu vivantes. Vieilles pour la plupart, la farine emplissait les rides de leurs visages qui ressemblaient ainsi par endroits, entre les joues et le menton, aux fragments d'une mer boueuse en carton pâte, et crénelée d'écume artificielle. Fragiles, elles ne devaient leur maintien qu'au sertissage de leurs nombreux bijoux qui leur enserraient les doigts, la nuque, le cou et les poignets. Leurs yeux étaient deux fosses ternes bordées d'une rouge humidité. Elles donnaient à croquer de délicats gâteaux à de très petits chiens peignés comme des enfants, qui sortaient par instants des manches de leurs manteaux de fourrure. Elles se parlaient à peine. Elles ne me voyaient pas.

Grand-père me tirait par la manche, « Viens donc petit, ce n'est pas un spectacle ! » Je le sentais à la fois irrité et contrit de me voir fasciné par l'intérieur du grand café, alors que lui, avec ostentation, ne daignait pas lui jeter un seul de ses regards. La première fois où j'avais aperçu l'établissement, et lu les lettres dorées de son enseigne, j'avais hurlé à Grand-père, en désignant l'endroit, qu'il avait un concurrent, et lui, dans une hauteur toute olympienne et avec un phrasé cinglant m'avait répondu : « Ne t'inquiète pas, petit, ce n'est pas un café, c'est une *bonbonnière à chochottes.* »

Je m'étais saisi de l'expression comme d'un miracle.

La journée avançait. L'autocar de Stéfan Mercepied n'allait pas tarder à nous reconduire en nos terres. Nous terminions notre périple sous les arbres taillés qui bordaient la place de la République. Au centre de celle-ci, la statue verdâtre d'un homme en redingote accueillait les merdes de pigeons avec une sérénité de bronze. Grand-père m'expliqua un jour qu'il s'agissait de Monsieur Thiers, un des plus fameux bouchers du siècle précédent, et que sa statue n'était pas là pour honorer sa mémoire, mais pour que les oiseaux de leurs fientes vengent toutes les créatures qu'il avait jadis assassinées.

« Mais ses couteaux, ses hachoirs, ses crochets, où ils sont Grand-père ?

— Petit, il avait tant de mal en lui qu'il pouvait s'en passer, il tuait en bougeant le petit doigt ! »

Et tandis que Grand-père reposait ses pieds gonflés sur un banc, j'allais, en regardant mon petit doigt et par amour de l'humanité défunte, cracher en cachette sur la statue de Monsieur Thiers.

Depuis, j'ai appris la douleur, et l'Histoire de France, celle que l'on dit être la vraie ; c'est là notre triste privilège dès lors que nous passons treize ans.

La forme de la Grande Ville a changé aussi vite que mon cœur de mortel : on a coupé des arbres, lissé la place, déboulonné la statue. Sans doute dort-elle dans quelque hangar municipal, entre trois poilus de fonte hors d'usage, deux lampadaires rouillés et les vestiges d'antiques vespasiennes. Les pigeons ont trouvé d'autres lieux d'aisance que le crâne de Thiers, et les cadavres fantômes des derniers Communards ont fini par dévorer l'ombre du petit homme.

Tout rentre un jour en ordre dans les allées du temps, il faut se le promettre, il faut bien l'espérer.

J'ai quitté *L'Excelsior*, mon grand-père et mon enfance, le lendemain de mes onze ans.

L'homme de la Grande Ville qui sentait si fort la betterave et le vinaigre vint avec sa mince cravate noire me prendre par la main.

Quand il entra dans le bistro avec d'infinies précautions et une moue d'huissier, alors que nous peignions de rouge et de vert de très fins bouchons de balsa sculptés tout exprès pour l'ablette, je compris que c'en était fini pour moi d'un grand pan de douceur.

Grand-père voyant le Diable en personne n'aurait pas fait plus effroyable mine. Il lut malhabile les papiers que l'autre lui tendait sans plus d'explications, secoua la tête comme à la recherche d'une phrase qui ne vint jamais, puis baissa les bras. Il resta un long moment à regarder dans le lointain du mur écaillé, où une tapisserie moribonde ne parvenait plus à panser le plâtre malade. L'homme finit par montrer son impatience, et Grand-père m'emmena dans la chambre, lentement, comme si soudain le poids de toute la terre venait de marquer ses épaules.

Nous fîmes tous les deux ma petite valise. Enrobée dans une poussière ocre, elle s'était oubliée de nos mémoires depuis trois ans, bien cachée derrière le fronton déhanché d'une haute armoire. Grand-père l'essuya d'un revers de bras mélancolique. Nous y glissâmes quelques vêtements, mes trois cahiers *Le Conquérant* remplis de divisions et de maximes édifiantes, un appeau que le facteur m'avait taillé dans une branche de coudrier, et une montre-gousset au verre étoilé dont les aiguilles vibraient sans jamais avancer. Puis il s'assit sur le lit, d'un coup, dans un bruit déglingué de ressorts et me prit les deux mains dans les siennes, en les serrant, en les pressant à me faire mal. Ses bons yeux tremblaient, comme sa voix, du gros mensonge qu'il s'apprêtait à me dire :

« Tu reviendras bientôt mon petit, bientôt… Sois sage avec le Monsieur, même s'il sent mauvais et qu'il a un nez de mou de veau… Tout le monde n'est pas Jésus-Christ… Sois bien sage, tu reviendras avec moi pour toujours, on ira tous les deux pêcher le chevesne à la cerise dans le coude de Sommerviller, et cueillir des roses dans les prés du Faucheux, et…

— Et poser des nasses et des cordeaux, Grand-père ?

— Autant que tu veux, mon petit, autant que tu veux... Et je te mijoterai la plus belle des *Corbeilles d'eau douce*... »

Sa voix se perdit, à la manière des plaintes que le vent arrache aux très hauts peupliers, et qui sont plus fortes encore quand elles meurent à petit dans le bruissement des milliers de feuilles tremblées. Il me serra contre lui, m'écrasa les joues contre sa grosse chemise de mauvaise laine, et je sentis une dernière fois, en pleurant, comme s'il s'était agi de tous les parfums d'Éden, l'odeur de vieux tabac, de poussière et de vin, l'odeur de cellier dormant et de tiédeur limpide, l'odeur de temps bercé, l'odeur de mon grand-père.

Au-dehors, l'autocar des *Rapides du temps* lança deux secs coups de klaxon. Le successeur de Mercepied ne buvait pas ; pas plus qu'il ne plaisantait sur les horaires de passage et les limitations de vitesse. Cet homme n'avait aucune disposition pour la poésie routière.

Grand-père m'embrassa une dernière fois, lui qui embrassait si peu. Je fus entraîné dans l'autobus, assis sur un siège, le moteur aboyait, ma valise meurtrissait mes genoux, il faisait chaud, le chauffeur rabattit les portes à soufflets, tout allait trop vite.

Déjà l'autocar roulait, me débattant, escaladant les jambes de l'homme qui m'emmenait, je me précipitai au fond de l'allée et je pus voir, derrière la vitre, Grand-père sur le seuil de *L'Excelsior*, debout, qui agitait avec une lenteur douloureuse son vieux torchon troué, et paraissait me regarder comme au travers d'un espace infini, car la poussière des routes déposée sur le verre de la lunette arrière donnait à son visage qui s'éloignait de moi la couleur indéfinissable de ceux qui s'endorment pour toujours dans nos mémoires.

Je ne revis jamais mon grand-père. Et jamais la blessure de ne l'avoir plus revu ne s'est refermée.

Je vécus au hasard des placements dans des familles qui n'étaient pas la mienne. Je ne fus pas malheureux, je ne fus pas heureux. Toujours dans mes rêves, revenaient les rues, la rivière, les odeurs de terre et d'herbes mâchées des champs de la petite ville, la pénombre du bistro, son épaisseur confortable.

Bien souvent dans mes nuits, je me réveillais d'un faux sommeil et descendais boire mon bol de café que Grand-père avait déposé sur la première table de *L'Excelsior*, celle qui nous était tacitement réservée, la *nôtre* comme nous disions. Je voyais son ombre derrière moi, j'entendais sa voix : « Ça va, petit ? »… mais le vrai matin venait vite me saisir dans un lit aux draps rudes, et me rappeler la marche des jours ainsi que ma nouvelle existence.

Je reçus bien des lettres de Grand-père, belles d'une écriture gauche et qui parfois s'éloignait, sans doute du fait des *canons* bus sur lesquels il devait plus encore forcer depuis mon départ, de la stricte horizontalité, avouant par là un net penchant pour le calligramme.

Il m'entretenait de la vie du bistro, de la taille des brochets pris aux pièges, de la couleur du ciel, me faisait rire en recopiant les conversations de ses habitués, et toujours, il terminait ses lettres par la même phrase, qui embuait en plus de mes yeux l'horizon de mes jours : « Je suis bien triste sans toi, sois sage mon petit, et nous nous reverrons. »

Je fus sage à m'en tuer de gentillesse, même avec les pires individus, ceux qui d'un petit mot méchant savent semer des cailloux dans nos cœurs : cela ne m'a pas rendu Grand-père.

Puis soudain ses lettres cessèrent de me parvenir. Il fallut que je grandisse seul, dans l'affection de nos souvenirs communs que je faisais danser dans mon cerveau à les user comme un linge trop porté.

Quelques années plus tard, j'avais seize ans, l'homme à la betterave et au nez d'abat vint m'annoncer la mort de Grand-père : je serrai très fort dans ma poche la montre-gousset qui ne marquait plus le temps, et récitai en moi-même des lambeaux de prière, où Dieu se mêla, dans une liturgie biaisée, à la limpidité de certains muscadets et aux saveurs de girolles patientant dans les sous-bois.

Puis j'avançai dans la vie, couvert de petites écorchures.

À ma majorité, un notaire me lut un document, me le fit signer, et me remit une grande clef à laquelle pendait une étiquette bistre :

il y était écrit «*L'Excelsior*, entrée principale», et c'était l'écriture de mon grand-père.

Le notaire me donna aussi un carton rempli d'enveloppes fragiles. Chacune portait une date, et les dates se suivaient de semaine en semaine. Il y en avait cent-quatre-vingt-treize. C'était toutes les lettres que Grand-père m'avait écrites, et jamais envoyées car l'homme à la betterave avait un jour jugé préférable de ne plus lui donner mes adresses.

J'ai dû attendre avant que de pouvoir les lire. Il me semblait serrer dans mes mains un corps cher et que la mort avait ravi, me défendant par là de l'approcher de nouveau. Les ouvrir aussitôt eût été le souiller, le pourfendre d'une précipitation sacrilège. Il me fallut du temps, le temps qui fût digne de les inscrire dans une reconnaissance, ainsi que dans le fil d'une manière de chemin de croix et de gloire.

Ce sont les plus belles lettres qu'il m'ait été donné de lire. Je ne veux rien en dire sinon qu'elles ont la beauté de l'essentiel et des petits riens, et qu'elles composent, dans leur tissu sincère, le livre d'un vieil homme et d'un enfant qui n'est plus.

Et c'est ce livre-là que j'emporterais, de préférence à tout autre, sur l'improbable île déserte.

La vie a passé. Je suis devenu un homme, c'est-à-dire peu de chose.

Après bien des années, des reculades et des pudeurs, je suis enfin revenu dans la petite ville. La vieille clef dans ma main, j'ai tardé à retrouver le fil des rues engourdies. Je n'osais trop approcher d'un lieu que je pensais détruit. Que trouverais-je à la place de l'antique bistro ? Un bar flambant neuf ? Un parking ? Une fosse fraîchement remuée ?

Dans le port, *Caspienne* et *Diamant* avaient résolument sombré depuis ma précédente visite. On devinait à peine la forme de leur proue au travers des reflets de l'eau croupie. Elles n'étaient plus rien d'autre désormais que des éclats noyés et sans légende. J'ai poursuivi mon chemin, le cœur battant et d'avance déçu, serrant à me briser les os la grande clef. Tournant le coin de l'église, j'ai baissé la tête et me suis dirigé aveugle vers mon passé, comme jadis vers le café en sortant de l'école : le jeu consistait à ne regarder que ses chaussures, et jamais devant soi. Les plus courageux ne relevaient pas la tête, et préféraient se cogner le front contre les lampadaires ou les murets plutôt que d'abdiquer leur honneur à s'avouer vaincu. J'ai compté mes pas, que je m'efforçais de rendre plus petits. J'ai retrouvé mes mesures, mon souffle d'enfant, et je me suis arrêté…

Lentement, très lentement, j'ai haussé mon regard et il m'a semblé soudain que dans ma poche la montre-gousset hoquetait de nouveau.

Devant moi, je n'en croyais pas mes yeux, *L'Excelsior* inchangé dressait son éternité simple. Grand-père n'avait baissé la grille qu'à mi-hauteur. L'écriteau «*Fermé pour cause de...*» avait un peu pâli, mais il demeurait toutefois lisible et sur la porte vitrée, c'était toujours le même rideau – «*les langes pas propres*» – ficelé à la diable.

La peinture de la façade à force de n'avoir plus de couleur avait fini par en trouver une, la sienne propre faite de fumées d'usine, de reflets d'orage et de temps déçu. J'ai sorti la clef pour la rentrer dans la serrure avec délicatesse, comme si j'avais eu à remonter une fragile et précieuse boîte à musique... Mais je me suis arrêté: à quoi bon forcer les méandres du passé?

Je me suis assis sur la traverse devant le bistro. Des hirondelles cinglaient le ciel en jetant des pépiements aigus. L'air sentait le regain et le goudron saisi. Un petit vieux somnolait à mes côtés sur le banc de fortune. Je ne l'avais jusqu'alors pas remarqué. La tête baissée et posée sur une canne, son visage disparaissait dans l'ombre de sa casquette. Il ronflait un peu.

Neuf heures moins le quart ont sonné à l'église. Le vent a soudain brassé l'odeur des premiers lilas – *Lilas blanc, lilas mauve, donne ton sang et me sauve…* Des enfants partaient à l'école dans les cavalcades et les rires. Quelques messieurs à pied, costumés et cravatés, les ignoraient gravement en les croisant. Un des gamins leur tira la langue, et partit en courant de plus belle.

Il faisait déjà doux.

Dans mon dos, tout contre mon dos, *L'Excelsior* s'apprêtait sans doute à sortir de son assoupissement. Je voulais m'en convaincre. Il me semblait soudain revenir, par cette matinée à l'ordinaire somptueux, vers le pays lointain de mes dix ans, sur les chemins duquel m'attendait avec patience celui que j'avais jadis quitté. Pour cela, il me suffisait juste de fermer les yeux, et de tendre la main.

Nous délaissent sans prévenir les plus beaux de nos jours, et les larmes viennent après, dans les après-midi rejouées de solitude et de remords, quand nous avons atteint l'âge du regret et celui des retours. Les visages et les gestes que nous traquons dans l'ombre des puits de nos mémoires, les rires, les bouquets, les caresses, les silences boudeurs, les taloches aimantes, l'amour et le don de ceux qui nous mènent au seuil de la vie creusent notre souffrance autant qu'ils nous apaisent.

Nous vivons parmi de grands pans de lumière hâchés de noirs fracas. Il faut nous en convaincre.

« Ça va être une belle journée ! » dit soudain à côté de moi le petit vieux, le visage toujours mangé de nuit.

« Oui, lui répondis-je, revenu de ma surprise et après un moment de songerie, oui... Grand-père, la plus belle des journées. »

# Philippe Claudel
# dans Le Livre de Poche

*Les Âmes grises* n° 30515

« Elle ressemblait ainsi à une très jeune princesse de conte, aux lèvres bleuies et aux paupières blanches. Ses cheveux se mêlaient aux herbes roussies par les matins de gel et ses petites mains s'étaient fermées sur du vide. Il faisait si froid ce jour-là que les moustaches de tous se couvraient de neige à mesure qu'ils soufflaient l'air comme des taureaux. On battait la semelle pour faire revenir le sang dans les pieds. Dans le ciel, des oies balourdes traçaient des cercles. Elles semblaient avoir perdu leur route. Le soleil se tassait dans son manteau de brouillard qui peinait à s'effilocher. On n'entendait rien. Même les canons semblaient avoir gelé. "C'est peut-être enfin la paix... hasarda Grosspeil. – La paix mon os !" lui lança son collègue qui rabattit la laine trempée sur le corps de la fillette. » *Les Âmes grises* (Prix Renaudot 2003, consacré meilleur livre de l'année 2003 par le magazine *Lire*, Grand Prix des lectrices de *Elle* catégorie roman) a été traduit dans vingt-cinq pays.

*Le Bruit des trousseaux* n° 3104

« Le regard des gens qui apprenaient que j'allais en prison. Surprise, étonnement, compassion. "Vous êtes bien courageux d'aller là-bas !" Il n'y avait rien à répondre à cela. Le regard me désignait comme quelqu'un d'étrange, et presque, oui, presque, quelqu'un d'étranger. J'étais celui qui chaque semaine allait dans un autre monde. Je pensais alors au regard qui se pose sur celui qui dit : "Je sors de prison." Si moi, déjà, j'étais l'étranger, lui, qui était-il pour eux ? »

*La Petite Fille de Monsieur Linh* n° 30831

C'est un vieil homme debout à l'arrière d'un bateau. Il serre dans ses bras une valise légère et un nouveau-né, plus léger encore que la valise. Le vieil homme se nomme Monsieur Linh. Il est seul désormais à savoir qu'il s'appelle ainsi. Debout à la poupe du bateau, il voit s'éloigner son pays, celui de ses ancêtres et de ses morts, tandis que dans ses bras l'enfant dort. Le pays s'éloigne, devient infiniment petit, et Monsieur Linh le regarde disparaître à l'horizon, pendant des heures, malgré le vent qui souffle et le chahute comme une marionnette.

*Du même auteur :*

MEUSE L'OUBLI, *roman (Balland, 1999)*

BARRIO FLORES, *roman (La Dragonne, 2000)* avec des photographies de Jean-Michel Marchetti

QUELQUES-UNS DES CENT REGRETS, *roman (Balland, 2000)*

J'ABANDONNE, *roman (Balland, 2000)*

POUR RICHARD BATO, *récit (Æncrages & Co, 2001)*

AU REVOIR MONSIEUR FRIANT, *roman (Phileas Fogg, 2001)*

LE BRUIT DES TROUSSEAUX, *récit (Stock, 2002)*

NOS SI PROCHES ORIENTS, *récit (National Geographic, 2002)*

CARNETS CUBAINS, *chronique (Librairies Initiales, 2002) (hors commerce)*

LA MORT DANS LE PAYSAGE, *nouvelle (Ænçrages & Co, 2002)* avec une composition originale de Nicolas Matula

MIRHAELA, *nouvelle (Ænçrages & Co, 2002)* avec des photographies de Richard Bato

LES PETITES MÉCANIQUES, *nouvelles (Mercure de France, 2003)*

LES ÂMES GRISES, *roman (Stock, 2003)*

TROIS PETITES HISTOIRES DE JOUETS, *nouvelles (Virgile, 2003)*

LA PETITE FILLE DE MONSIEUR LINH, *roman (Stock, 2005)*

TROIS NUITS AU PALAIS FARNÈSE, *récit (éd. Nicolas Chaudun, 2005)*

FICTIONS INTIMES, *récit (Filigranes, 2005)* avec des photographies de Laure Vasconi

OMBELLIFÈRES, *récit (Circa 1924, 2005)*

LE MONDE SANS LES ENFANTS *(et autres histoires), nouvelles (Stock, 2006)* avec des illustrations de Pierre Koppe

LE RAPPORT DE BRODECK, *roman (Stock, 2007)*

QUARTIER, *chronique (La Dragonne, 2007)* avec des photographies de Richard Bato

PETITE FABRIQUE DES RÊVES ET DES RÉALITÉS, *récit (Stock, 2008)*

CHRONIQUE MONÉGASQUE, *chronique (Gallimard, « Folio et Senso », 2008)*

Composition réalisée par Chesteroc Ltd.

Achevé d'imprimer en août 2008 en Espagne par
Litografia Rosés
Dépôt légal 1re publication : janvier 2007
Édition 04 : août 2008
LIBRAIRIE GÉNÉRALE FRANÇAISE – 31, rue de Fleurus – 75278 Paris Cedex 06

31/2081/3